BOUQUETS
insolites

Je remercie mon éditeur pour la confiance totale qu'il m'a faite. Christian, pour avoir été fidèle à la parole donnée, pour le temps passé, pour son amitié solide et son immense talent, et toute son équipe pour sa gentillesse. Laurence Madrelle et son équipe pour la mise en page superbe. Mon frère, ma belle-sœur et tous mes amis pour leur présence chaleureuse. Mes filles pour le temps pris sur leur temps. Et tous ceux qui m'ont encouragée dans cette aventure.

Je remercie surtout tous ceux qui, en ouvrant leur maison ou par le prêt d'objets, m'ont aidée à donner une âme à ce livre :
Mme Camus
Eliakim
Mme Dominique Kieffer
M. et Mme O'Byrne
Mme Françoise Rousselin
pour Canal Plus
M. Yves Taralon.
et
Anne Vincent
Annick Clavier
Avant-Scène
Chine Japon
Christian Benais
Carole Jouffroy
David Hicks
Daum
Dîners en ville
Diva
Eliakim
Etamine
Fardis
Galerie Quartz
Galerie Maeght
Hugonet
Lalique
La Tuile à Loup
Les Impressions
Les Jardins imaginaires
M. Patrick O'Byrne
Shizuka
et Philippe Bonduele
pour sa connaissance
des végétaux.

conception graphique
LM communiquer
**Laurence Madrelle,
Marie-Paule Galiana
assistées de Jocelyn Mingot.
photocomposition**
Magic System
photogravure Graphotec

BOUQUETS
insolites

Chris O'Byrne

bouquets
Christian Tortu

photos
Gilles de Chabaneix

E.P.A.

à François
Johanna et Briddie

Il existe mille et une façons de faire des bouquets, et pourtant l'art floral reste trop souvent classique. Ce livre est une invitation à porter un autre regard sur les possibilités étonnantes que nous offre le monde végétal avec sa multitude d'espèces où couleurs et formes se déclinent à l'infini.

Depuis toujours, j'aime mélanger aux fruits et aux objets de la maison les fleurs cueillies au hasard des promenades, sable, coquillages, galets et bois rapportés de voyage. De cette habitude est née l'envie de faire un livre. Il y a quelques années, j'avais été frappée et séduite par les compositions audacieuses de Christian Tortu. Ce jeune fleuriste, récemment installé à Paris, apportait enfin un souffle nouveau à l'art floral. Je lui demandai alors de créer pour des photos des bouquets faits de fruits, de légumes et de fleurs à la manière d'Arcimboldo... Imaginer les formes, trouver les végétaux et mélanger les variétés nous avait donné un tel plaisir que je lui proposais de participer à mon projet. Nul autre mieux que lui ne pouvait comprendre ce que j'imaginais. Nous partagions le même goût de l'imprévu, le même sens de l'humour des associations et des accumulations, et une certaine poésie. De plus, nous étions convaincus l'un et l'autre qu'un bouquet, reflet de la personnalité et de l'attention de celui qui l'a composé, ne doit pas être défini par une ambiance mais créer une atmosphère.

Ensemble, nous avons pensé et composé les bouquets que vous trouverez au fil de ces pages et que Christian a réalisés avec tout son talent.

Mais j'ai aussi tenu à en réaliser seule quelques-uns : néophyte en la matière, je souhaitais que le lecteur de ce livre se retrouve dans mes mains inexpertes.

Nos bouquets, que Gilles de Chabaneix a photographiés avec toute sa sensibilité, vous surprendront souvent : ils mêlent le thym, la mousse, les légumes aux fruits,

aux fleurs des champs et aux plantes précieuses.
Inspirés par les saisons, les émotions et les nostalgies, d'une simplicité naïve ou d'une sophistication extrême, ils jouent à la fois sur les couleurs, les parfums et les formes, et, détail important, les contenants. Au vase traditionnel viennent s'ajouter aujourd'hui les vases sculptés et tous ceux que l'on peut improviser soi-même avec trois fois rien, un peu de temps et d'imagination, en habillant de tissus, de feuilles ou de mousse, verres, seaux et récipients en terre ou en métal. Vous trouverez aussi mille idées pour réaliser des bouquets différents et les techniques pour bien les réussir.

Comme nous, inventez, osez mélanger, créer l'insolite et vous vous surprendrez d'avoir franchi les limites de l'habitude et d'y avoir pris un réel plaisir.

Chris O'Byrne

Pour moi, faire des bouquets a toujours été un acte de plaisir en même temps qu'une manière d'être, de vivre. Le jour où j'ai décidé d'en faire mon métier il fallait en même temps accepter de montrer des choses que certains considèrent comme très personnelles.

Le fait qu'on ait bien accueilli ma démarche m'a procuré encore plus de plaisir et c'est donc sans aucune timidité que j'ai accepté de me dévoiler encore un peu à travers ces bouquets.

Comme tout dans la vie, ce livre est le résultat d'une rencontre. D'abord avec Chris O'Byrne, qui, la première, a eu l'idée de rassembler des bouquets simples mais insolites. Sa sensibilité aux choses de la nature en faisait une complice idéale. Avec Gilles de Chabaneix ensuite, qui a apporté un regard différent et a su renforcer l'idée que nous avions de ces images et leur donner plus de vérité.

Loin des techniques de l'art floral académique, ce livre n'a aucune volonté pédagogique. Partant de quelques recettes simples et à la portée de tous, je souhaite simplement qu'il suscite des envies et qu'il rassure aussi le plus grand nombre d'entre vous, en montrant qu'avec trois fois rien mais beaucoup de sensibilité chacun peut faire des bouquets merveilleux. S'il fallait qu'il apporte un message, ce serait de dire qu'il n'y a pas de meilleur maître que la nature elle-même. C'est en la regardant vivre, en l'aimant et la respectant, que vous parviendrez à composer des bouquets qui soient le reflet fidèle de l'évocation du monde végétal. Car enfin, disposer fleurs et feuillages dans un vase, n'est-ce pas tout simplement faire entrer la nature dans la maison ?

Christian Tortu

couleurs

Bleu intense, bleu
violacé, bleu de
Prusse ou de la nuit,
bleus infinis, ont été
déclinés dans la
monochromie dense
d'un bouquet rond.
La couleur bleu
Klein du vase
accentue la force
du bouquet.

**campanules
bleuets
véroniques
tritélias centaurées**

Harmonie de jaune d'or et d'orange pour ce bouquet dense et original. Les fleurs ont été piquées dans une mousse synthétique placée au cœur du panier tressé. Des oranges couronnent le panier et servent de base à cet écla-tement de tulipes mêlées aux renoncules et à des iris de jardin. Quelques branches de troène donnent une touche de vert, tandis que les cannes à sucre posées à l'hori-zontale tranchent avec la rondeur de la composition.

"On peut être chauffés, pour fondre ces ors-là, et ces tons de fleurs, le premier venu ne le peut pas. Il faut l'énergie et l'attention d'un individu tout entier..."
Vincent Van Gogh
Lettres à Théo.

Bouquet éclatant de tournesols, allégé par quelques branches de fenouil.

**tournesols
fenouils**

La corbeille ovale de style Napoléon III se prêtait à une composition de fleurs variées. Printanières, les jonquilles se mêlent aux pensées et aux ornithogales entourés d'asparagus touffu. Présentée dans une jardinière en terre cuite émaillée, en métal argenté ou en tôle peinte, cette composition sera également réussie si l'on veille à choisir des fleurs courtes aux pétales très fournis et en mariant harmonieusement les couleurs. On peut jouer avec les crocus et les primevères, mélanger jacinthes, iris de jardin et lilas blancs, coupés très haut, ou jacinthes et anémones bleues. L'asparagus sera toujours indispensable pour étoffer l'ensemble et bien tenir les fleurs.

viburnum
renoncules
jacinthes
muscaris
achillées
narcisses
tulipes
angéliques
roses de Noël
raphia
mousse en plaque

L'harmonie des couleurs a été pensée en accord avec celles de la coupe extra-ordinaire qui est à elle seule un décor.

choux-fleurs
boules-de-neige
côtes de blettes
champignons de Paris
petits oignons
herbe de cebette
aubépine
tulipes blanches
feuilles de laurier

Les légumes savamment disposés créent une ambiance un peu extraordinaire. Cette nature morte éphémère sera une décoration insolite à la campagne, ou deviendra au contraire le centre d'une table sophistiquée parée d'argenterie et de cristal.

On remplacera alors les corbeilles en genêt par des plats plus recherchés. Les boules-de-neige sont placées dans des petits verres autour du chou-fleur. La deuxième partie de la composition, plus difficile à réaliser, consiste à créer des volutes

avec des branches de blettes. Mais relativement fragiles, celles-ci doivent être remplacées très vite.

**fleurs de marronnier
anémones**

Ce bouquet de charme joue sur le contraste du vert cru des feuilles de marronnier et le blanc délicat de ses fleurs auxquelles on a ajouté quelques anémones.

Malheureusement, les fleurs de marronnier sont fragiles et devront être renouvelées. Les poteries rustiques mettent en valeur ce type de bouquet très simple.

La teinte passée des roses Charles de Gaulle se marie subtilement au mauve des lilas et des tulipes. Ce bouquet monochrome est également très parfumé, car l'odeur suave de ces roses se combine parfaitement à celle des lilas. La corbeille de fil tressé a une ouverture suffisamment large pour permettre de faire une composition très étalée, qui lui donne un faux air Napoléon III... Bouquet romantique aux senteurs exquises, il pourrait aussi être disposé dans un vase plus simple, ou dans une coupe en argent.

roses Charles de Gaulle
lilas
tulipes
laurier

amarante
crête-de-coq
amarante
queue-de-renard
sedum
viburnum opulus

Dentelée comme une crête-de-coq, vibrante et enflammée comme une danse espagnole, l'amarante permet des combinaisons originales. Elle fleurit de juillet à octobre. Ici, on a joué la gamme des pourpres et des rouges vermillon. Bouquet boule chatoyant, dans lequel l'amarante précieuse et veloutée a été associée à sa sœur plus sauvage.

salade romaine
chou rouge
artichauts
aubergines
prunes
iris noirs
figues
sucrine
asperges
asparagus
tomates
persil

Nature morte de légumes accumulés dans un saladier de faïence, cette décoration joue sur la couleur pourpre déclinée dans un camaïeu recherché mais facile à imaginer avec les fruits et légumes de l'été. Posé sur un bouti provençal, le bouquet au charme rustique évoque les marchés du sud de la France. Amusant dans une salle à manger, il est aussi étonnant pour un centre de table dans un jardin.

tulipes de Hollande

La multitude de tulipes déclinées du rose fuchsia au rouge carminé donne un résultat superbe. Ce bouquet demande une grande quantité de tulipes du fait de la large ouverture de la coupe et de la densité de la composition (les tulipes doivent être très tassées). S'il revient donc assez cher, il dure longtemps. On peut obtenir le même effet dans une coupe plus petite, et imaginer un dégradé de jaune, de blanc ou de rose saumoné.

Bouquet boule d'anémones épanouies parsemé de quelques branches de lierre, liées par des brins de raphia. Les tiges ont été égalisées et permettent au bouquet de tenir tout seul. Avant de le déposer dans un vase, nous l'avons photographié dans l'encadrement d'un miroir barbare à pointes de diamant qui contraste avec la délicatesse des fleurs.

**anémones
lierre panaché**

Petit bouquet très simple et monochrome, où seules quelques feuilles vertes se détachent des dahlias et zinnias orange. La réussite de cette composition tient à sa forme recherchée. Une branche s'élance, quelques fleurs se balancent au bout de leur tige. Le vase carré permet une composition touffue. Les deux espèces de fleurs existant dans une belle gamme de couleurs, il est facile de varier à l'infini. Le dahlia a une durée de vie assez courte et perd ses pétales ; le zinnia, aux tiges fragiles, doit être manipulé avec précaution.

parfums

narcisses

Jeux de colin-maillard autour de l'arbre de narcisses. Le vase est ici exceptionnel. L'idée de garder les narcisses hauts sur leur tige et de les installer bien denses dans un cache-pot peut être reprise dans un contenant droit plus simple.

**fenouil
romarin
lavande**

Parti pris de simplicité pour cette composition de plantes aromatiques qui fleurent bon la Provence. Le décor, constitué d'un canotier, d'une corbeille de paille et d'une jarre en terre cuite, souligne l'atmosphère fraîche et nostalgique du bouquet.

La matière brute des racines tressées met en valeur la finesse de la lavande fraîchement cueillie. Il faut détacher les fleurs et les aligner au même niveau avant de les placer dans la corbeille. Même séchées, les lavandes restent belles et dispensent des senteurs délicates.

iris
jacinthes
freezias
pois de senteur
prêle
pin
graminées
fleurs de carottes

Dans le panier de fils torsadés, les verres sont enroulés dans des feuilles d'iris. Quelques pois de senteur au dessin subtil. Une branche de pin donne la note des verts dans cette harmonie de blancs. Une jacinthe blanche et un iris transparent sont délicatement posés dans le panier, d'où s'envolent quelques branches de graminées.

**asperges violettes
aneth
ciboulette
artichauts
fleurs d'ail
estragon
ornithogale
menthe**

Dans l'égouttoir provençal en faïence vernissée, les senteurs d'herbes aromatisées se mêlent aux légumes. Quelques fleurs aux pétales étoilés ponctuent la composition.

eucalyptus

Au Maroc, les forêts d'eucalyptus enva-hissent l'intérieur des terres et les bords de mer, mêlant aux odeurs de sel les senteurs épicées de leurs feuilles vert-de-gris.

Des bottes de différentes variétés d'eucalyptus, recomposées ici dans un simple seau en zinc, évoquent des souvenirs d'enfance ou de voyage. Le seau du fleuriste garde au bouquet robuste toute sa simplicité et s'accorde parfai-tement avec la retombée naturelle des branches.

**cannelle
anis étoilé
pommes de pin
de l'île Maurice
cuir naturel**

Aromates venus des Îles, bâtonnets enroulés d'or et cosses enchevêtrées se glissent dans les plis du cuir. Cette composition aux teintes cuivrées joue sur l'association inhabituelle d'odeurs fortes et exotiques, celles de l'anis et de la cannelle, celles du cuir tanné et du bois ciré, celles aussi des pommes de pin.

baies
jasmin blanc
baies de fusain
du Japon
feuilles de rosiers

Une cascade de fleurs légères et écla-tées à la fragrance sublime s'échappe de la coupe de verre sablé. Pour cet ensemble, trois jasmins ont été plantés dans la coupe. On peut les mettre également dans un cache-pot, mais il faut veiller à ne pas pourrir les racines par des arrosages trop fréquents. Les plants tiennent très longtemps et fleu-rissent de novembre à février en inté-rieur. On a glissé une note de rouge, en y ajoutant quelques branches de baies.

iris de jardin
scilla
lilas
tulipes noires
pittosporum

49

Associer toutes ces fleurs aux parfums entêtants était une gageure. L'important résidait aussi dans le mariage des couleurs. Le vase en verre trans-parent rouge rubis laisse apercevoir les tiges. La même composition, dé-clinée dans la gamme des blancs, sera superbe sur un buffet de fête.

Raffinement
extrême, dans un
chassé-croisé de
fleurs précieuses, le
parfum du lis,
découpé comme
une étoile de mer,
se laisse dominer
par celui de trois
tubéreuses à l'arôme
pénétrant. Les lotus
sont à fleur d'eau
dans la coupe de
cristal nervuré qui
laisse apparaître les
veines du granit.
La coupe étant très
évasée, il a fallu
fabriquer un pique-
fleurs de fortune, en
faisant un treillis de
petits branchages
qui retient ces quel-
ques fleurs rares et
très odoriférantes.

**fleurs de lotus
lis Casablanca
tubéreuses**

graphiques

baies d'églantier
feuilles d'hosta
baies de fusain d'Europe
branches
de pommier décoratif

Comme une toile d'araignée, les aubépines em-mêlées se croisent et s'entrecroisent. Le vase est gigan-tesque. Seules des branches peuvent créer cette structure très graphique et spectaculaire. Au cœur du bouquet, quelques feuilles placées en corolle donnent une note de vert.

Des branches de baies sur un poivron qui sert de "vase" exceptionnel mais éphémère : il vivra moins longtemps que les baies qui tiennent sans eau. Cette idée pourra être reprise avec un poivron vert garni de lierre ou de fleurs d'un soir, dans les tons de bleu ou de rouge, et servir de décor de table individuel à placer devant chaque convive.

**baies d'ilex
poivron**

Équilibre dompté, les fleurs d'arum font la roue sur le triangle parfait d'un vase insolite. Décor d'un jour, fruits et fleurs d'arum s'intercalent sur les branches d'ombelles. On peut réaliser le bouquet de la même façon dans un vase long mais étroit, en faisant tremper les tiges dans l'eau et en posant les fruits entre chaque fleur sur les bords du vase.

Rigueur architecturée d'un bouquet japonisant. Le vase est droit, ce qui permet une composition très verticale. Les tiges nouées à leur base s'élancent en hauteur, encadrées de bottes de prêles de deux niveaux. Pour rompre la raideur d'une telle composition, une fleur de lotus se love au creux de trois feuilles d'anthurium placées au ras du vase.

prêles
feuilles d'anthurium
fleurs de lotus
ornithogalum
agapanthes blanches

**réséda
tritome
annelles en pompon
rudbeckia sans pétales**

Balancement harmonieux et courbes des branches s'élancent du vase barbare. Dans un cas, les branches jaillissent du vase, et c'est lui qui est en vedette. Dans le second cas, les fleurs orange font vivre la composition, le vase est moins important.

Les ornithogalum sont placées dans un vase sculpté dont l'encolure est très évasée, mais le fond resserré permet de maintenir la composition. Toute l'originalité de ce bouquet réside dans la façon dont on a utilisé les fleurs (groupées en boule au même niveau) et dans la longueur démesurée des tiges qui s'élancent du vase.

Eucharis et fleurs
d'ail jaillissent
comme un feu
d'artifice du vase en
terre sculpté. On l'a
couronné de vert
avec une guirlande
d'euchomis avant
de piquer les fleurs
élancées.

Déclinaison des verts, galbes sensuels, sphères de mousse et boules d'argent scandent un univers de formes parfaitement placées. Cette nature morte réalisée avec des calebasses est destinée aux intérieurs clairs et contemporains. Les boules de mousse pourront être multipliées et montées en pyramide et servir de décor pour un buffet.

**dattes
cactus
boules de mousse
calebasses**

**pommes starking
rhubarbe
orchidées
laelia
branche de pins
protéacées**

Les pommes placées
une à une dans le
vase calent les
branches d'orchidées
et la rhubarbe. On a
mis le minimum
d'eau nécessaire aux
fleurs pour éviter
aux fruits de pourrir.

Les billes de tomates roulent dans les ondulations du vase. Des bulbes ont été noués sur les petits bambous installés sur les bords du vase.

amaryllis
petites roses
tomates cerises

iris de jardin
bear grass

La forme de cette paire de vases nous a donné l'idée de la composition. Les bouquets très semblables sont cependant créés à des hauteurs différentes. Il en résulte une impression de mouvement souligné par le graphisme des fleurs et les courbes du bear grass. Ce style de composition doit être fait dans des vases très légè-rement évasés.

feuillages

Savoir assembler des feuillages est tout un art. Ici, le buis et les touffes de ronces se marient bien aux feuilles d'eucalyptus. Les branches sont coupées court et la composition est très horizontale et compacte. La jardinière en terre vernissée crée une atmosphère champêtre. Le même bouquet aura une autre allure si l'on choisit une jardinière en tôle peinte ou en métal, mais il faudra garder la forme ovale qui met en valeur la diversité des feuillages.

ronces
buis
pittosporum
eucalyptus en fleur
veltheimia

Foisonnement d'herbes tendres et de plantes sauvages pour un bouquet dentelé. La soupière en argent disparaît presque sous la masse touffue et l'enchevêtrement des verts et des gris. La preuve est ainsi donnée qu'un simple bouquet d'herbes cueillies dans le jardin peut être élégant.

sauge
romarin
cinéraire maritime
corbeille d'argent
armoise
santoline
protéacées
bruyère

arums verts
orchidées
feuilles d'anthurium
fruits de motus
spathes d'alginia
tetetifi
feuilles de palmier
découpées
leucadendrons
bulbines

Feuillages exotiques s'élancent du vase droit en mélangeant leurs verts gris et sombres, où la fragile orchidée fait vibrer ses fleurs rares.
Pour bien tenir les feuillages, il faut glisser quelques tiges coupées qui maintiendront les autres en place.

graminées
fruits de lotus
luzerne
sauge en fleur
alium christophii
épis d'ornithogale

Les volutes du métal oxydé et la rondeur d'une terre cuite se détachent sur le fond hachuré des stores. La botte de graminées ronde et structurée souligne ce décor géométrique et moderne.

Blés et lavandes sont entourés de raphia. Un contenant exceptionnel pour un bouquet composé avec humour. Il mêle laitues et persil à des petites bottes de pensées et de lavandes dispersées dans la masse des verts. Mais, à la place des fleurs bleues, il est possible d'opter pour des petites roses et des tomates cerises, ou des primevères et des jonquilles jaunes.

Il faudra beaucoup de patience pour faire la corbeille... le tout peut aussi être déposé dans un joli cache-pot ou dans une corbeille de genêts.

**branches de chêne
d'olivier
d'eucalyptus
de tremble
graminées
avoine
asparagus
alchémille**

La roche pigmentée des terres du Roussillon devient ici le décor exceptionnel d'une composition de branches fraîchement cueillies.

gui
hortensias
ampélopsis

Une touffe de gui sacré ponctuée de trois boules d'hortensias s'élève de la jardinière filiforme. Celle-ci, très fine et ajourée, donne à la composition un souffle particulier presque lyrique encore accentué par le décor : une pièce abandonnée, un tapis rouge et un parterre de feuilles d'ampélopsis.

pains au sésame
pommes de pin
œufs durs
branches de pin
lierre

L'ovale lisse des œufs et la rondeur des petits pains s'intègrent sans prétention à quelques pommes de pin sur un lit de feuilles de lierre. Une composition inattendue et drôle qui peut être confectionnée toute l'année.

**ampélopsis
baies de troène
arums violets
vigne
boulestrier**

Les petits pots de terre bien alignés sont prêts pour le bouturage, et la grande jarre aux rondeurs généreuses est remplie d'ampélopsis et d'arums violets déployés en éventail. Tout endroit peut être prétexte à un bouquet. Les arums violets rendent celui-ci sophistiqué, alors que sa composition principale est faite de branches de vigne et d'ampélopsis. Malgré la taille de la jarre en terre cuite, le bouquet, assez plat, garde des proportions normales.

graines de cassia
fagots d'ombelles
maïs
épices
branche de genêt
maritime

La jarre de terre et le rideau aux impressions barbares ont inspiré cette nature morte aux consonances africaines. Avec humour, les cosses de cassia ont été installées en pyramide, tandis que quelques fleurs sauvages sont placées dans la poterie. Quelques petits tas d'épices colorées contrebalancent le bleu violent du tissu.

papyrus
trompettes-de-la-mort
prêles
feuilles exotiques

Mise en scène africaine... une promenade à travers la brousse a été reconstituée avec les petites statues d'ébène et des végétaux exotiques...

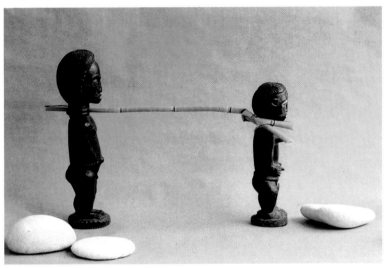

**feuilles de nénuphar
pavots
tussilages japonais
feuilles
de sansevieria**

Une gerbe de pavots graciles est retenue par une couronne de feuilles de nénuphar dans un vase de terre vernissée. L'ouverture de celui-ci étant très large, les feuilles retiennent les fleurs en leur centre, et leur vert sombre fait ressortir la monochromie des orangés.

feuilles d'anthurium
régime de bananes
fruits
cabosses de cacao

Simplement déposés sur le marbre gris, les fruits d'Afrique donnent la note des verts.

gardénias
coquillages

Les pétales blancs et parfumés des gardénias se distinguent à peine des coquillages amoncelés sur un lit de sable dans une coupe de verre sablé.

fleurs de gingembre
pavots
racines de gingembre
dattes
osier en couronne
racines

Mélangés à deux majestueuses fleurs de gingembre, les pavots aux robes légères semblent encore plus fragiles et gracieux. Les fleurs ont été disposées dans un vase glissé dans le panier tressé japonais. Une torsade de joncs complète ce bouquet exotique.

L'oiseau s'était envolé de la cage comme dans un poème de Prévert. Derrière les barreaux dessinés, on a glissé trois petits vases fleuris parmi les branches de lierre.

jacinthes
tulipes
renoncules
lierre

Le châle brodé
rapporté de Syrie
est prétexte à une
composition dans
un camaïeu de
rouges garance.
Nature "vivante" de
fruits, le voyage est
dans le fauteuil...

pommes starking
branches de litchis
grenades
branches de skinia

fleurs de carnivore
poire
avocat
corossol
prêles
raphia

La théière japonaise était posée sur le meuble... alors, comme dans un tableau, fruits et fleurs ont trouvé leur place. La nature morte s'orientalise. Pour déguiser les verres, on les a habillés de prêles sagement alignées et liées de raphia. Avec humour, on a déposé poires et avocats au milieu de la composition.

Des branches de pin et de baies d'ilex remplacent le houx pour ce traditionnel bouquet de Noël vert et rouge. Anémones et roses intercalées de feuillages sont tassées en boule dans une corbeille.

**hortensias
brocolis
persil
feuilles de laurier
artichauts
boules-de-neige
mousse**

Mystérieux et profond, le bleu des murs sert d'écrin au bouquet de brocolis, d'hortensias et de persil, piqués dans de la mousse. La coupe est en terre émaillée. L'ensemble fera un centre de table spectaculaire.

tulipes
renoncules
mandarines
kumquats
roses
branches de marronnier
boules de mousse

Une couronne de
mandarines est
coiffée d'une
multitude de fleurs
orangées entre-
coupées de quel-
ques feuilles de
kumquat. Les fleurs
ont été placées par
bottes dans un vase
dissimulé par la
couronne de fruits.

Fantaisie surréaliste. Le vase créé par le peintre Dali a été le point de départ de ce bouquet théâtral cramoisi. Prunes et raisins sont déposés au cœur des amarantes à la robe de velours écarlate. Cette fleur toujours très spectaculaire était la plus appropriée au style du bouquet. On a ajouté une branche d'aubépine pour rappeler l'univers torturé de l'artiste. Dans une coupe simple, le bouquet apparaîtra certes plus sobre, mais gardera toujours son côté exceptionnel.

amarantes
crête-de-coq
tomates cerises
prunes quetsches
raisins noirs
aubépine

Fête chromatique des dahlias qui rayonnent de teintes automnales du grenat aux ors somptueux. La beauté du bouquet est liée à cet éclat des couleurs, à la masse impressionnante des dahlias, mais aussi à certains détails : des branches de lierre s'échappent du vase, tandis que quelques corolles sont éparpillées sur la table. Son contenant habillé de paille et noué d'une grosse torsade de raphia le rend plus inhabituel encore.

arbre de Judée
iris de jardin
orchidée sauvage
buis
euphorbes

Les orchidées sauvages ramassées autour de la maison ont inspiré ce mélange de violets et de jaunes. Les iris de jardin sont coupés très court et enfoncés dans une coupe émaillée dans les mêmes couleurs que celles de la composition. Une branche d'arbre de Judée s'élance de ce bouquet joyeux présenté sur un bouti ensoleillé.

petites pommes
tomates cerises
feuilles de lierre
boules jaunes
piments verts
baies d'églantine

La pyramide de fruits agrémente cette élégante table de soir d'été aux réminiscences très XVIIIe siècle. La composition éphémère de baies et de petites pommes collées en spirale autour d'un cône spécialement préparé est un décor très original pour un buffet de fête.

Comme dans un rêve, la théière d'un jour s'est vêtue de feuilles de rosiers, tandis que la tasse est garnie de pétales de roses collés un à un avec patience. Un bouton de rose est posé sur le couvercle et l'anse est faite d'une branche d'églantine.

**roses en branches
branches de vigne
lierre**

Pour une occasion
exceptionnelle, la
statue sert de décor
floral.

Douces et charnues, soyeuses et veloutées, ces roses au parfum troublant sont placées dans des vases de formes différentes pour une composition romantique. Un vase boule à l'ouverture étroite implique un petit bouquet rond, tandis que l'autre, de forme évasée, permet une vaste composition. La coupe d'albâtre, dans laquelle reposent quelques pois de senteur, fait le lien entre les deux bouquets.

roses Madame Delbard
roses parme
roses Mamy Blue
roses jaunes
roses blanches
pois de senteur
amaryllis
branche de hêtre

les gestes du fleuriste

Ramassées dans les champs ou achetées chez le fleuriste, marguerites et boules-de-neige sont assemblées en un simple bouquet rond.
Après avoir sélectionné et bien étalé ces fleurs sur le plan de travail, on les a défeuillées aux trois quarts. Puis, dans une main, on assemble les tiges une à une en vrillant légèrement pour composer un bouquet rond. Il faut prendre soin de construire la rondeur du bouquet au fur et à mesure, en plaçant les têtes des fleurs au même niveau en tournant. Lorsque le bouquet est bien dense et suffisamment important, lier les tiges ensemble pour le maintenir en boule. Un lien de raphia noué sera très décoratif.
Puis vous couperez les tiges à la même longueur avant de les mettre dans un vase qui aura une ouverture assez large. Le vase rond sera le plus adéquat.

kakis
ananas
mangues
abricots secs
kumquats
prunes
raisin
lierre
boules de mousse
fruits de cacao

Pour cette composition de fruits exotiques, nous avons choisi une coupe de fil de fer. Après avoir entouré les bords de la coupe d'une guirlande de lierre, des boules de mousse intercalées de mangues ont été installées dans le fond du contenant en laissant dépasser légèrement les fruits dans lesquels on a piqué des bâtonnets taillés en biseau. A la base de l'ananas, quatre petits bâtons plantés dans la mousse permettent de maintenir le fruit bien droit au centre de la composition. Les autres fruits, préparés de la même manière, seront piqués dans l'ananas et dans les mangues au gré de votre imagination, en intercalant prunes et kumquats, autour des kakis. La grappe de raisin, seule touche de violine, tranchera dans cette harmonie d'orangés. Terminer en piquant quelques feuilles de lierre.

viburnum
renoncules
jacinthes
muscari
achillées
narcisses
tulipes
angéliques
roses de Noël
mousse
raphia

Nous avons choisi de vous décomposer un bouquet réalisé dans une coupe, dont l'ouverture peut présenter une certaine difficulté. Pour rehausser le bouquet, placer du papier de cellophane froissé dans le fond de la coupe, avant de la remplir d'eau.

Puis faire plusieurs petites bottes des fleurs choisies, que vous nouerez, par variété, avec du raphia. Regroupez-les ensemble, au gré de votre fantaisie et en fonction des couleurs. Gardez bien les têtes de fleurs au même niveau et coupez les tiges à la même longueur. Prenez alors l'énorme botte formée par toutes les fleurs rassemblées et glissez-la d'un bloc dans la coupe préparée. Il suffira alors de caler l'ensemble par quelques petits rouleaux de mousse plate que vous aurez ficelés au préalable et qui disparaîtront sous les fleurs. Piquez de-ci de-là quelques fleurs rares en harmonie avec l'ensemble. Ici, des roses de Noël.

les contenants

De gauche à droite :

– Diva
– Avant-scène
– Diva
– Olivier Gagnère
  pour la Galerie Maeght
– Eliakim

– Daum
– Olivier Gagnère
  pour la Galerie Maeght
– Diva
– Carole Jouffroy
  chez Avant-scène

Les contenants peuvent être déclinés à l'infini. Par tradition, pour faire des bouquets on choisit un vase, mais l'objet dévie, se transforme, se métamorphose, s'adapte ou s'habille. En terre, en verre, en argent ou en osier, le bouquet s'anoblit ou se démocratise en fonction de son contenant. Soupière, cache-pot, jarre, verres déguisés, volutes de métal ou paniers tressés, à vous de choisir ! N'oubliez pas cependant que le contenant impose toujours une certaine forme de bouquet, mais que, paradoxalement, vous le choisirez en fonction des végétaux que vous achèterez ou qui vous seront offerts.

Un vase de forme ronde permet des bouquets boule et touffus dont le volume dépendra de l'orifice du vase, tandis que des vases droits imposent une forme en hauteur.

Pour éviter que le bouquet soit trop raide, utilisez des végétaux avec des tiges souples ou du "bear grass" très décoratif, qui le rendront plus étoffé.

Le vase tulipe a une partie ventrue qui se resserre pour s'évaser à nouveau et permet aux fleurs de s'épanouir à leur guise tout en étant maintenues. Un vase en entonnoir demande beaucoup de fleurs, tandis que les vases droits et bas imposent des compositions avec des tiges courtes.

— Tous les paniers et la poterie
  proviennent de la Boutique Christian Tortu

— petit pot en terre
  les Impressions

Dans les paniers, vous composerez des bouquets champêtres ou des mélanges de fruits et fleurs. N'oubliez pas d'isoler vos paniers par une feuille de cellophane. Vous placerez des blocs de mousse synthétique bien imbibés d'eau pour que les végétaux ne souffrent pas, ou des récipients de verre si la hauteur du panier le permet.

– Tous les contenants
  sont des créations
  de l'Atelier de Christian Tortu.

En dehors de vases traditionnels, n'hésitez pas à confectionner des contenants de fortune, et à improviser. Ils donneront un ton nouveau au moindre bouquet et vous permettront "d'inventer" par exemple des contenants géants pour des buffets ou des bouquets exceptionnels. Les uns pourront être habillés de feuilles de prêles, d'autres pourront être recouverts de mousse collée, drapés de tissu ou enveloppés dans de la paille nouée au raphia, d'autres enfin seront faits de rangées de fruits collés entre eux et montés en couronne sur deux ou plusieurs rangées... Les végétaux seront installés dans un récipient en verre placé à l'intérieur de la couronne.

Les cache-pots peuvent aussi servir de vase, mais leur ouverture très large rend les bouquets difficiles à réaliser : il est préférable de se servir d'un pique-fleurs ou de mousse synthétique. Dans les soupières, coupes ou saladiers, il faudra employer les mêmes ruses, alors que, dans les jarres ou très grands vases, on préférera des bouquets de grands branchages ou de feuillages rustiques simplement rehaussés de fleurs rares, et qui se tiendront entre eux grâce à l'entrelacs des tiges. Dans les grandes jarres, il faudra installer un simple contenant en plastique du même diamètre que l'ouverture mais plus petit, qui évitera de remplir la jarre d'eau.

Dans les vases en verre, vous pourrez difficilement vous servir d'un pique-fleurs ou de mousse synthétique car la transparence ne pardonne pas. Choisissez donc bien la forme de votre vase et si vous avez des difficultés à faire tenir vos fleurs, n'hésitez pas à tricher en entrecroisant des branchages ou en installant des tiges déjà coupées aux trois quarts, dans lesquelles vous glisserez celles de vos fleurs. Dernier recours, vous pourrez mettre du papier cellophane froissé dans le fond du vase ; il maintiendra les fleurs en place ou permettra de gagner de la hauteur pour exécuter le bouquet.

Achevé d'imprimer
en Mai 1991
sur les presses de
GREFOL - G.S.T. en C.E.E.